Bébé-Rose
et la grosse vague

Images de Tony Hutchings

nathan

— J'ai des nouvelles pour vous! dit Papa
en entrant dans la cuisine où Bébé-Rose
aide Maman à faire des confitures,
Oncle Timothée nous invite chez lui, Samedi!
Bébé-Rose sait que son oncle est un ancien marin
et qu'il habite au bord de la mer.

Bébé-Rose n'a jamais vu la mer.
— C'est comment la mer? demande-t-elle sans arrêt.
Enfin, Samedi arrive!
— Nounours peut-il venir avec nous? demande Bébé-Rose.
— Non, dit Maman, mais tu peux emporter ta pelle
et ton seau pour jouer au bord de l'eau!

Dans la voiture de Papa, Bébé-Rose n'arrête pas de dire
à Maman :
— Raconte-moi encore la mer... Raconte-moi encore le sable !
Et Maman répète que le sable est jaune et que la mer
est bleue avec des petites vagues et parfois des grosses !

Ils arrivent enfin. Et voilà Oncle Timothée
avec sa casquette de capitaine
et un drôle de T. shirt rayé, comme ceux des marins.
— Dépêchons-nous, dit-il en riant,
allons vite pique-niquer sur la plage!

Bébé-Rose est toute joyeuse et Oncle Timothée
l'aide à faire un château de sable.
— C'est drôlement bien de jouer au bord
de la mer! dit Bébé-Rose.
— C'est aussi drôlement bien, dit Oncle Timothée,
de patauger dans l'eau. Allons, Bébé-Rose,
viens voir la mer avec moi!

Bébé-Rose a un petit peu peur.
Elle serre très fort la main d'Oncle Timothée,
tandis que des petites vagues éclaboussent ses pieds.
— Attention, ne mouille pas ta robe ! dit Oncle Timothée
en riant, c'est amusant, n'est-ce pas ?
Mais Bébé-Rose ne répond pas.

Juste à ce moment, une grosse vague arrive.
Bébé-Rose a très peur,
elle court vers le sable,
mais la grosse vague la rattrape
et la fait tomber.
Alors Bébé-Rose se met à crier!

Pauvre Bébé-Rose, elle n'arrête pas de pleurer,
même quand Maman lui dit que Papa et Oncle Timothée
sont partis lui acheter une surprise.
— Je n'aime pas la mer! crie Bébé-Rose en sanglotant.
Je... je veux rentrer à la maison et retrouver mon Nounours!
— Ne pleure plus, ma chérie, dit Maman,
cette grosse vague voulait seulement jouer avec toi!

Eh bien moi, je n'aime pas les grosses vagues
et je n'irai plus jamais jouer dans la mer!
dit Bébé-Rose.

Papa et Oncle Timothée reviennent en portant
quelque chose de très grand et de très brillant.
— Mais... qu'est-ce que c'est? demande Bébé-Rose.
— C'est la surprise de Timothée, dit Maman.
— Regarde, Bébé-Rose, dit Oncle Timothée avec sa grosse voi

je t'apporte une vraie piscine, pour toi toute seule.
Viens vite nous aider à la remplir d'eau de mer.
Bébé-Rose ne bouge pas...
mais elle regarde travailler Papa, Oncle Timothée
et ses petits amis.

Soudain, Bébé-Rose dit tout bas:
— Je crois que je vais quand même les aider!
Et, prenant son petit seau, elle court au bord de l'eau.
— Bravo! dit Papa, puisque tu nous aides,
nous allons très vite remplir ta piscine!

Et très vite, Maman et Bébé-Rose peuvent patauger
dans la piscine d'Oncle Timothée.
— Comme c'est amusant! dit Bébé-Rose en riant.
Et puis ici, il n'y a pas de grosses vagues!

À la fin de la journée, toute la famille va goûter
dans la petite maison d'Oncle Timothée.
On dirait la cabine d'un vieux bateau.
Il y a des coffres de marin, un petit navire
sur une table et même une vieille ancre marine !

Alors Oncle Timothée commence à raconter
les merveilleuses histoires de ses aventures en mer.
—Ah! c'était le bon temps! dit-il en soupirant.
Et Bébé-Rose se demande si les coffres de marin
sont remplis de pièces d'or!

Après le goûter, Bébé-Rose aide Maman dans la cuisine,
pendant que Papa et Oncle Timothée déposent
un énorme paquet dans la voiture.
Et c'est le moment du départ.
— Au revoir, Oncle Timothée. Au revoir!
dit Bébé-Rose.
Elle n'a même pas vu l'étrange paquet!

Et, le lendemain matin, que voit Bébé-Rose
au milieu du jardin? Sa piscine!
— C'est sensationnel! dit-elle en battant des mains,
Nounours pourra me regarder remplir ma piscine,
puis il pataugera avec moi.

Et je lui apprendrai à aimer les grosses vagues.
Comme ça, nous nous amuserons bien
quand nous retournerons à la mer!

Juste à ce moment-là, Papa et Maman
arrivent en souriant et disent à Bébé-Rose :
— Bonne nouvelle, Oncle Timothée nous attend
samedi prochain au bord de la mer
et il invite aussi Nounours !